*Pienten kerjäläisten rukouskirja*

*Tommy Tabermann*

*Runokokoelmia*
Ruusuja Rosa Luxemburgille 1970
Kun kaikki kellot sydämessä soivat 1972
Aivan kuin joku itkisi 1973
Tähtiä kämmenellä 1974
Päivä päivältä rakkaampaa 1975
Kaipaus 1976
Anna minä kumoan vielä tämän maljan 1977
Kukkiva kivi — Valitut runot 1970—1977 (1978)
Kipeästi keinuu keinumme 1979
Intohimon panttivanki 1980
Ylistyslauluja ihanalle ruumiillesi 1983
Täyttymyksen jano — Valitut rakkausrunot 1983

*Romaaneja*
Suudelma 1977
Jumalatar 1979
Vedenpaisumus 1981

# TOMMY TABERMANN

# pienten kerjäläisten RUKOUSKIRJA

Weilin+Göös

Amer-yhtymä Oy Weilin+Göösin kirjapaino
Espoo 1984

ISBN 951-35-3151-1

# Huuto Jumalalle

Isä meidän,
sinä joka hallitset
viittä käärmettä, olet
niellyt ne
etkä anna niitä,
minä huudan sinua.
Olen lapsi
jonka hiukset kammattiin
pelonsekaisilla huudoilla
uhmakkaiden lehtojen käräjäkivillä,
siellä missä
autiuden sinfoniaa harjoitellaan,
kammattiin pelonsekaisilla huudoilla
ja riisuttiin alasti, vapinan
lähdettä myöten, että linnut
nokkisivat minua
ja sinun luvattu säälisi heräisi.
Isä meidän,
ne lähettivät minut
alastomana matkaan, sysäsivät
minut kultaisista hiuksista kiskoen
pimeän leirittämään metsään.
Jumalani, ne lähettivät minut,
kiipesivät puuhun odottamaan.
Sillä kaikki tietävät
että on olemassa viisi käärmettä

jotka sinä olet niellyt, kätkenyt
hunnun taakse, muuttanut varjoiksi,
ja varjot eivät anna rauhaa.
Varjot ovat
irtileikattujen jäsenien särky,
minun hiuksissani ulvova tuuli.
Isä meidän,
pimeydestä minä huudan sinua,
minä alaston ja vapiseva,
minä yhdellä survaisulla
matkaan heitetty:
Anna merkki itsestäsi,
anna käärmeet minulle!

Auringon leikki vedessä
on vielä järkevää selitystä vailla
ja me laskemme yhteen pimeyksiä
uskaltamatta katsoa summaa.
Mutta minä olen lapsi, kullankeltaiset hiukset,
kadonneiden kesien vainiot, sydän vasta
paljastettu ensimmäistä viiltoa varten.

Minut on lähetetty
hakemaan käärmeet Jumalan vatsasta,
minut on lähetetty hakemaan Jumala
elävänä tai kuolleena,
ne lähettivät minut
koska minä olen kevyt,
minun omatuntoni, hiusteni
tai tuulen painoinen, minä kävelen
miinojen yli kuin kukkasten.
Eivätkä ne tiedä

minkä näköinen Jumala on,
että hänet tuntee tuoksusta,
vapinasta luiden kaikuvissa holveissa.
He istuvat puussa,
mutustelevat
murheellisin otsin
hämmennyksen banaania
ja tähyilevät minua tulevaksi.
Isä meidän,
mustuneiden puiden
synkän valituksen läpi
minä huudan sinua:
Näytä minulle kasvosi!
Viisi käärmettä sinulla
on vatsassasi, viisi
valmiiksi toteutunutta unta.

Ne lähettivät lapsen
hakemaan käärmeet
että voisivat tappaa ne, lapsen
oli tultava käärmeet kaulassaan
ja kannettava Jumalan päätä vadilla.
Ja lapsen kullankeltaiset hiukset
olisivat kitkerän tuhkan peitossa
ja ne pesisivät hiukset
verellä että ne puhdistuisivat.
Ja ajattelivat
että kullankeltaiset hiukset
jälleen herättäisivät
Jumalan henkiin
ja hänen vadille kalvennut suunsa
soisi heille armon.

Isä meidän,
minä olen se lapsi
joka lähetettiin hakemaan
viittä käärmettä, täyttämään
öisten rikoskammioiden mutisevat rukoukset.
Vain käärmeet voivat vaientaa
avunhuudot povien ulapoilta.
Isä meidän,
sitruunakyynelin minä huudan sinua,
linnun sydän kämmenellä minä huudan sinua,
veitsi kädessä minä huudan sinua.

Viisi käärmettä
nukkuu kylläistä unta
sinun huntuvatsassasi,
viisi kylläistä käärmettä.
Oi, Jumala, kuinka kylläinen
sinä mahdatkaan olla
noista viidestä
lihavasta käärmeestä,
itsensä syöneistä.
Etkö kuule kuinka
pimeiden petojen metsässä
alaston lapsi, pieni kerjäläinen,
kuiskaten huutaa sinun nimeäsi?
Mikset jo näyttäydy.

Ja aamulla
vain auringon nopea leikki
jäätyneessä lätäkössä,
ja räsähdys, kuin
joltakin Bowien levyltä.
Ja sitten taas hiljaista, pimeää, kylmää.

# Ensimmäisen käärmeen rukous

Oi avaudu, avaudu.

Ruusuni,
olet huurteen peittämä mykiö,
sisältä lämmin kuin haava,
uneksijan aamuinen vulva,
ja olet perhosen jähmettynyt siipi
kun metsät sytytetään tuleen.
Yksinäinen lapsi itkee
airottomassa veneessä
heiluttaa valkoista lippua,
purjehtii pakoon:
Oi, avaudu,
avaudu minulle ruusuni.

Ja sinä olet aallot,
jokainen kivien
yhtä kadehtima.
Kaksikymmentä joutsenta
suuren kaipauksen päivänä
lentää kaupungin yli
ja ne hajaantuvat minun ylläni.
Ja niiden huudot, ruusuni,
sinun suusi.

Rakkaani, tuuli puhaltaa
yli vaiteliaiden kasvojemme,
se tulee todeksi
vasta kun kohtaa esteen, ulvahtaa
kuin kiimainen kettu.

Rakkaani, meidän vaiteliaisuutemme
on kaipauksen ainoa väri, sen lakanat,
sen polte, lapsen korkea kuume, posket,
järisyttää kansakuntien
sairasta ruumista.
Kiittämättömien orjien kapina
asuu kuumeisen lapsen poskilla.

Yhteisesti suljetut silmämme,
me emme osaa enää nukkua
näkemättä unia käärmeestä,
silmämme näkevät Trotskin istuvan
meksikolaisessa huoneessaan, kärpänen
pörrää hänen hiuksissaan, ei anna rauhaa,
se on joutsen ja hän tietää sen,
hän voi tappaa sen, yhdellä
jäähakun iskulla,
ja huomenna se saapuu taas.
Hän sulkee silmänsä
kuin loppuun luetun kirjan.

Rakkaani, meidän yhteisesti ummistetut
silmämme, suuren unen mykiöt, suruvaipat,
määkivät lammaslaumat, laivojen
sikiöt horisontissa, raiskattujen
nunnien viimeinen rukous,

ne näkevät kuinka Zelda
polvistuu himmeän ikkunansa takana,
työntää käden kurkkuunsa
löytääkseen kultaisen avaimen
joka ratkaisee käärmeen labyrintin.
Ja mitä hän löytää, vankeuden helmi?
Hän löytää käärmeen, talloo sen pään
käsittämättömien tanssien koroillaan.


Juosta,
juosta tieheni,
jättää kaikki, syöttää
helmeni sioille, antautua joutsenille.
Niinkö tahdot, oi ruusuni?
Mutta minne, minne?
Yöllä ei
ole ilmansuuntia.
Mikset avaudu, ruusuni,
tähän kuunvalon täyttämään käteen,
lapsen kuumeiselle poskelle?


Käärme,
olet kiimainen koira,
sinä jätät vuoteet kylmiksi,
sinä kuset paavin kengille,
sinun ulvontasi läpäisee lyijyn
ja pistää neulansa
laillistetun rikoksen siannahkaan.


Käärme,
sinun teoriasi
on kiimaisen riisumisen käytäntö,

11

väistämätön, vailla järkeä,
että ei ole olemassa
pientä suudelmaa, maistiaista,
jonka tarkoin suunnattu nuoli
ei tähtäisi
hyppyyn pää edellä,
silmät ummessa, suu raollaan, sinne
sinne, kirkkauden ytimeen, ei
ei ole

ei Käärme, ei muuta kuin juosta.

Vapauden tanssille
ei koskaan
rakenneta lavaa.

Oi ruusuni, sinä liikahdat
kun naurava suuni kurkottautuu
kohti ilojen ihmeidentekijää, hänen
kirjavia pallojaan, kyyryistä selkäänsä
jonka nikamista linnut
käyvät juomassa äänensä, oi ruusuni
sinä liikahdat, liikutat suutani,
annat maistua.

Minun suuni sinun suullasi,
me juomme käärmeen myrkkyä,
se maistuu tuulelle, naurulle.
On se hetki, tilikirjat poltettu,
budjetti laatimatta, lipunnosto
vallatun palatsin katolla.
Käärme, pääsenkö enää

lähemmäksi sinua
ennen kuin
katoat raunioihin?
Oi ruusuni, huurteen peittämä mykiö.

Rakkaani, meidän yhteisesti ummistetut silmämme
ovat ruusun liikahdus, käärmeen parantava myrkky,

ja kirkkaus, lämmin haava.

# Toisen käärmeen
# rukous

Ylistetty olkoon kätesi pehmeys.

Kuohittujen eläinten epätoivo
on katkaissut kaikki pakotiet.
Kuuntele, käärme, kuinka ne
kuopivat maata, maa vapisee,
nytkähtelee
kuin kohmeloisen poskilihas,
itsensätyydyttäjän sulkeutunut lanne,
ikkunat särkyvät
ja kauan empineet ranteet
viettävät nopeita häitä
niiden säröt sulhasinaan.
Kuihtuneissa laaksoissa,
palavaa ruohoa aristellen,
vaeltavat kuohittujen eläinten laumat
silmät lauhkeaa surua kuolaten
uneksien rannoista
joiden hiekalle valaat heittäytyvät, sokeasti.

Pehmeä käsi,
sinun hyväilysi toive
on meidän ihomme
toinen hengitys,
sen syvin huokaus.

Pehmeä käsi,
anna minulle tyynen veden uhrilehdot,
ripottele muutama lumme,
nostata myrsky upottamaan
ajelehtivat hylyt
syvemmälle kuin historia,
syvemmälle kuin muisti, kauemmas
kuin aavistus, pelon imettäjäeukko,
anna kuohittujen eläinten iholle
kyky tuntea
värisevissä sieraimissaan
levollisuuden myski.

Pehmeä käsi,
käärmeen voima,
jumalan vatsaan kätketty,
miksi kosketat meitä
vain pienimmällä sormellasi,
ohuella
kuin lapsen
kultainen hius?
Ja sitten, pelkkä hengähdys,
palaneen hiuksen kitkerä käry.
Yhtä nopeasti kuin
sähkön ruoska
opettaa kivekset puhumaan.

Kuuntele, käärme,
niin ne vannovat sinun nimeesi, käärme,
että lähtevät kivääri kädessä
sinua etsimään,
lyövät rumpua,

toitottavat torvia
heitätyttävät itkevillä naisilla kukkia
luvaten tuoda pehmeän käden
yli selän,
yli vatsan,
yli nännien
kuohimattoman varsalauman,

ei, ei
ei käärme
eivät ne itse lähde,
ne lähettävät lapsen matkaan
niin kuin
kalastaja vieheensä,
sylkevät häntä.

Mutta lapsi haluaa karata
käärmeen kanssa, tulla
käärmeen omaksi, muuttua
pehmeäksi kädeksi,
sillä lapsi muistaa suullaan
kuohimattomien nännien varsalauman.

Käärme, sinua voi karata,
mutta sinun poissaolosi, sitä
kun veteen heitetyn kiven renkaat
eivät lakkaakaan, kivun
itsepäiset kiertoradat,

ei sitä
kun joka yö
ikkunat särkyvät

sisälle hämäriin huoneisiin
ja hiukset pestään verellä
eikä apua huudeta
enää keneltäkään,

vaan Äitiä, Äitiä, Äitiä,
kauan sitten kuollutta,
monta kukkasta mullan
alla tuhkansa maidolla
hyväillyttä, hellinyttä.

Ja Käärme on Äiti,
pehmeä käsi, aamun
kevyt sade itkun
runtelemille kasvoille.

Ylistetty olkoon sinun kätesi pehmeys.

Kuuntele, käärme, lapsi kutsuu sinua,
lapsi haluaa käden pehmeydeksi,
tyyneksi vedeksi, lumpeeksi,
kellopoijun helähdykseksi,
nännien villiksi laukaksi.
Sillä lapsi on seissyt
alastomaksi riisuttuna
korkealla kivellä, tuulen tukemana,
nähnyt kuohittujen eläinten laumojen
vaeltavan
silmät lauhkeaa
surua kuolaten
uneksien rannoista
joiden hiekalle valaat,
ääneti, täysissä järjissään, heittäytyvät.

Oi pehmeä käsi,
kosketa minua,
tee tyyneksi tämä yö.
Yö on särkynyttä lasia täynnä
ja muistin läpivalaistussa vedessä
kelluu kaunis nainen, lapsen kaltainen,
irtireväisty lumme,
tihkuvien unien astia,
kuohittujen koirien luu,

hän kelluu ohi
koska on päättänyt löytää
sinun luoksesi
eikä osaa erottaa
sinua kuolemasta,
niin samanlaiset
ovat kasvonne, tyyneyden semantiikkaa,

hän ottaa yöpöydältä lasin vettä,
nostaa himoituille huulilleen,
ja nielaisee *ne*
anovan odotuksen vallassa
yhden toisensa jälkeen, odottaa.

Etkä sinä tulekaan
vaan hän muuttuu valaaksi
ja ne heittäytyvät rannan hiekalle,
kaikki yhtaikaa,
kuin sotilaat sulkutuleen,
sulkevat silmänsä
koskaan näkemättä sinua,

koskaan tuntematta
sinun kätesi ylistettyä pehmeyttä.

# Kolmannen käärmeen
# rukous

Jumala,
polvillani minä pyydän sinua:
tätä käärmettä älä anna kenellekään,
tätä alati nahkaansa vaihtavaa,
tätä kietoutuvinta.
Ryömin sinun edessäsi
kunnes luu paistaa
ruhjotuista polvistani
äärimmäisen anomisen liljana:
tätä käärmettä älä anna kenellekään.

Jumala,
tämän kolmannen käärmeen hännästä
pidä lujasti kiinni
terässormillasi,
kidutuskammioidesi raivolla,
kostosi sitkeydellä,
edes lapselle älä sitä anna,
älä anna pienimmälle kerjäläiselle,
ei muuten kuin hetkeksi
täsmälleen
siksi ajaksi
joka peilin
hiomiseen tarvitaan, ei yhtään enempää,

ja sitten nielaise,
nielaise kahdesti, kolmasti,
sillä kolmas käärme on niljakas,
puraise teräshampaillasi,
katkaise
partaveitsenterä
jolla käärme yrittää
viiltää vatsasi auki, karata,
ryömiä lapsen luo, kätkeytyä
hänen hiuksiinsa, puraista niihin
parantumattoman puremansa,
vesikauhuinen koira,
auringonimijä,
kuuta kepillä kaitseva,

ei Jumala, edes lapselle älä anna,
ei kurjimmalle kerjäläiselle,
ei pienintäkään palasta,
kiven sirua
kolmannen käärmeen
kavalaan simpukkaan.

Ruusuni,
sinä tiedät
ettei valta asu vain
palatsien viileästi
hymyilevissä holvikaarissa,
ei vain mellakkapoliisien
äänettömissä kypärissä,
katukivien naarmuttamissa,
öisten koputusten
astmaattisessa pelossa.

22

Valta asuu vallatun silmissä,
häpeilevien ripsien risukossa,
sinne se tekee pesänsä.

Valta asuu rakastelevien vuoteessa,
sanomattomissa sanoissa,
peitetyissä peileissä.

Valta asuu kerjäläisen
nöyrässä kädessä,
hänen herransa kuvana,
käärmeen kylmyytenä.

Oi Jumala, käärmeiden valtias,
miksi juuri
tämä käärme
niin usein pääsee pakoon?

Rakkaani, meidän yhteinen halumme
isoaa riisua peilit,
särkeä käärmeen simpukan,
häätää holvikaarien
viileän hymyn,
silmillämme polttaa
käärmeen kylmä myrkky
kerjäävistä käsistä.

Meidän tiemme
on koristeltu
tummien kukkien makeudella,
kietoutuvilla käärmeillä.
Naaraasta taistelevat

hirvet ovat
meidän varjoisten
sielujemme mobileja.
Ruusuni, sinä nuuhkaiset,
pidätät henkeä, naurat,
heität pois.

Vihoissasi, julkeasti, sinä kutitat
oi ruusuni
vallan huvimajassa
vartijaa, naurusta rankaisijaa,
käärmeen satuttamaa,
leuan alta,
pilkkaat oikealla nimellä,

ja hän käy sinuun käsiksi
univormunsa koko rohkeudella,
tummien kukkien makeus kielellään,

kaikkien kersanttien siittimestä
uhonsa nuollut,
Tbilisin pappisseminaarin kasvatti,

repii
kuin haluaisi
paljastaa luusi
ja vaientaa liljat,

ruusuni, olet sytyttänyt
valtiopäivätalon tuleen,
olet kiivennyt kiellettyjä portaita
ylös asti, tiirikoinut

lukitun oven
ja nähnyt Dorian Grayn
muotokuvan riisuttuna.

Ja Jumala, tämä vain siksi
että kolmas käärme on karannut,
kätkeytynyt hiuksiin,
himmentänyt peilit.

Vain hetkeksi, Jumala, tummien kukkien makeus.
Niin kuin sinä olet tottunut
säännöstelemään
onnea.

# Neljännen käärmeen rukous

Kuolemista kaunein anna minulle.

Kuinka sinä tiedät
että minun sieluni on ranta,
hiekkaa, kiveä, savea,
sellaisenaan
niin vähäinen
ja vaatimaton,
vain muutaman kukan varassa,

ilmaan heitetyn ballerinan
äkillinen kuvitelma jäädä, kohota vielä,

eikä rantaa ole olemassa
ilman vettä, ilman aaltoja,
ilman tyrskyn kuisketta, ilman
päämäärättömän lähtemisen
hullua kaipuuta, hermoratojen tärinää
kuin Kioton junassa
kirjoitettu postikortti,
kuinka sinä tiedät
että menneet rakkaudet ovat aaltoja,
mustuneiden paisuneiden ruumiiden kantajia,

eikä niissä elä muu kuin silmät,
ne ovat niin kirkkaat ettei elävillä,

ei vaikka kuinka elävillä,
korvaasi hengittävällä,
vatsaasi pitelevällä,
ei kellään ole niin
kirkkaita silmiä
kuin menneiden rakkauksien
mustuneilla ruumiilla,

niin kirkkaina
ne liikkuvat, katsovat,
näkevät kaiken
ja enemmän,
yrittävät kertoa, neuvoa,
vähän ohjata,

hei, varo tuossa,
ei tuonnepäin, hölmö,
kulta, senkin
kompuroiva tähtikuvio,
käärmeiden lapsi,

ja syvän unen hetket ovat noiden
aaltojen harjoja, liian suuria
läheltä nähtäviksi, ne ovat
kokaiinia, jäljet peittävä lumisade,
transit-halli, unohdus
ennen sukellusta
tahattoman naurun laguuniin
ja aamuinen hämmästys
kun puhtaasta lumesta
löytyy muutama pisara verta.
Minun sieluni on ranta,

muutama yksinäinen kukkanen.
Jumala, anna minulle kuolemista kaunein.
Se, kun aallot lyövät rantaan, lehti mätänee, suru
murtuu,
laivan voihkaisu
kun se irtoaa karilta.

Eikä yksikään rakkaus kuole koskaan, ole turha,
uudelleen ja uudelleen
ne huuhtoutuvat rantaan,
täyttävät rannan
kuin metsästäjiä
pakenevat hylkeenpoikaset,
katsovat kirkkain silmin,
huuhtoutuvat pois
tahattoman naurun vuorovedessä.

Rakkaani,
rakkaus on rikos
joka ei
vanhene koskaan.

Rakkaani, ellemme
saa käärmettä
meidän on tehtävä se.
Meidän on tehtävä käärme
omasta lihastamme,

seistävä
omalla rannallamme
ja nostatettava tuuli,
sillä tulevilla rakkauksilla

ei ole ruumista, vain kimallus
jonka me voimme
muuttaa silmiksi
ja julistaa ne Jumalaksi.

Mutta Jumala ei anna meidän
nähdä käärmettä, hän piilottelee
sitä vatsassaan
eikä vastaa lapsen huutoihin.
Hän lähettää
keskelle synkkää metsää
unien harjoille
mustuneita ruumiita
ilman silmiä
mutta suut valittavat. Niiden
sinisistä huulista
valuu valkoisia matoja
ja ranta huutaa kivusta
kuin mies jonka ei anneta kuolla.

Jumala, anna minulle kuolemista kaunein.

Rakkaani, pane suusi
minun suulleni
niin meidän
yksinäisten rantojemme
huudot yhtyvät, aallot
liittyvät aaltoihin, ruumiit
pehmentävät
toistensa iskuja
kallioita vastaan.

Rakkaani, pane suusi
minun suulleni,
me synnytämme silmän.
Rakkaus on varjojen kuolema,
harkittu murha.

Rakkaani,
rakkaus on rikos
joka ei
vanhene koskaan.
Mutta tuomio
on aina
vapauttava.

Yksikään rakkaus ei kuole koskaan.
Rakkaus on kuolemista kaunein.

Kun tulen sinuun
me valmistamme
hallitun transsin,
syömme siemenperunat.
Ja sinä sanot minua käärmeeksi
kun minä tulen sinuun,
minä suihkuan käärmeen myrkkyä,
silmän seerumia, tähdensakaroita,
penisilliiniä, hylkeenpoikasia,
hiekkaa, kiveä, savea,
pienen pieniä kukkasia,
Kioton pikajunan tärinää,

rakkaani, niin minä tulen
sinun sielusi rannalle.

# Viidennen käärmeen
## rukous

Siis lakkaa jo kätkemästä, saituri,
laske kultaiset
hiukseni levälleen,
päästä käärme povelleni,

povi on
kuumin paikka auringossa,
siihen käärme jää,
peruskalliolle, timanttilouhokselle,
kärsivällisen veden
pehmeäksi hiomalle,
siihen se jää
niin kuin tähdenlennot
jäävät lapsen verkkokalvolle,
sulautuu erottamattomaksi,

siis laske
kultaiset
hiukseni levälleen.

Sillä kätkeminen
on varastamista,
varastaminen
on kuristamista,
etkö vieläkään usko,
kuohittu lammas,

ettei iloon
tarvita yhtäkään
näkyvää syytä,

ettei onni
ole keneltäkään pois,
tosi onni, järjetön
ja itsenäinen kuin
hevosen häntä
kun se häätää kärpäsiä,

onni on lisää
kun sen näyttää,
ei se lopu,
se kasvaa,

siis päästä
kultaiset
hiukseni levälleen.

Onni on se pistooli
jolla aion
ampua itseni,
ainoa aseeni.
Julkisella paikalla,
suurten surujen torilla.

Jumala, viiden käärmeen vartija,
päästä käärme povelleni.
Olen alaston lapsi
ja minä rukoilen sinua
verellä pestyjen hiusteni lomitse.

Minä haluan onnen, minä kestän sen.
Ja se tarvitsee minua
niin kuin keuhko
tarvitsee ilmaa,
niin kuin veri suonia.
Mitään muuta en halua,
haluan lukitun oven
ja veteen viskatun avaimen, Jumala,

minä olen metsästäjä ja susi
samoissa vaatteissa,
saman puun takana,
toisiaan kuulostellen,

mitään muuta en etsi
kuin onnea,
sitä hetkeä
kun tuoksu
tekee kukan turhaksi.

Onni, sinä olet käärmeistä nopein
ja nukut parhaiten.

Oi Jumala, sinä annat meille
noitien valinnan:
hukkua ja olla viaton
tai kellua
ja kuolla roviolla,

sen sinä annat meille, viiden
käärmeen valtija, sen sinä annat
lapselle kun hän huutaa sinua,

mutta mitä sitten teet
kun hän ei kuitenkaan
pelkää
Isadora Duncanin kaulahuivia
vaan antaa hiustensa liehua
eivätkä ne ole tuomitut
kietoutumaan pyörän napaan,

ei, ei minun iloni
ole silkkinen hirttoköysi,
anna kultaisten hiuksien liehua
niin kuin Isadora tanssii
Billie Hollidayn
käheäksi kärsityllä haudalla,

ettäkö kärsimys on
elämän merkki,
muuttolintu, kaukaisten
satamien perhostatuointi, niinkö,

hän tanssii sen pois, Isadora,
eikä ketään enää piinaa
sinun lanttisi, Jumala,
se jossa on klaava
molemmilla puolilla.

Onni on se pistooli
jolla aion
ampua itseni,
kaikkia tykkejä
tehokkaampi, kevään
rekyylillä varustettu.

Mikään ei
hyväile minua
niin kuin tuska,
onnesta syntynyt.

Siis lakkaa jo kätkemästä
viidettä käärmettä, saituri,
päästä käärme povelleni,
laske kultaiset
hiukseni levälleen,
edes hetkeksi,

ei onni
säiky kuoliaaksi
siitä että se nähdään,
ei se ole bakteeri, syfilis,
kaksipäinen vasikka, kuninkaallisten
käymälä, ei se katoa,

mutta kätkeminen
on varastamista,
luvatonta hallussapitoa,
kuristamista, Isadora
Duncanin kaulahuivi,

siis laske
kultaiset hiuksesi levälleen.

Meidän yhteisen ilomme tuuleen.

# Eroottinen virsi

## 1.

Iankaikkisesti kiitetty
olkoon sinun selkäsi
houkutteleva kaari,

hevosen
vapiseva lapa,
leipää hamuava turpa,
vastasyntyneen
järkyttävä hengenveto,
sinun selkäsi kaari
kasvaa sillaksi
minun sisälläni,
keneltäkään lupaa kysymättä
häikäilemättömästi sinun selkäsi
kaari yhdistää minun
eristetyt saareni, pienet kivet
joilla epätoivoni seisoo
ja viittilöi:

pelasta, pelasta,
tule ja upota, anna
hamuavan suun nuolla
sinun selkäsi
houkuttelevaa kaarta.

## 2.

Sinun niskasi portti,

kauemmas kuin
uskallan aavistaa
se saattaa johdattaa,
kreikkalaisen tavernan seinä,
pihkan maku
kuin olisin juonut
kokonaisen metsän,
siltä se maistuu,
iankaikkisesti kiitän
sinun niskasi porttia,
yksisuuntaista matkalippua,

se saattaa johdattaa
perille asti,
perille on paikka
missä tuuli syntyy,
ylenpalttisten kyynelten kehto,
kylmästi käännettyjen selkien hautausmaa

on sinun niskasi valkoinen
raotettu portti.

# 3.

Ylpeä on
sinun suusi,
mutta niin
kuiva huuliltaan.
Sinun suusi
on sinun selkäsi kaari,
on sinun niskasi raotettu portti,

heilauta, heilauta
päätä vielä kerran,
iankaikkisesti kiitetty,

oi tietäisitpä, himoittuni,
miten pisara
minun itkevää mertani,
miten se kastelee minut,
pahemmin kuin rankkasade koiran,
niin se kastelee
pienen pieni helmi
penikseni päässä,
kuin rankkasade
isännättömän koiran,

se imeytyy, pieni helmi,
kohti sinun
ylpeän suusi
janoisia juonteita,
vuolasta
liikkumatonta virtaa
jota savukkeesi
valpas hehku valaisee,
aivan kuin
istuisit rannalla,
ja odottaisit.

4.

Olet himoittu
kun kumarrut
savuke suupielessä
ja poimit,

yhdentekevää mitä poimit,
sinä poimit
minun katseeni,
olen kattanut sen sinulle,
sinä poimit sen
rintoihisi, ne uinuvat
minun helmeni hämärässä,
kääntyilevät levottomissa
unissaan, uikuttavat
kuin koiranpennut sateessa,
sinne sinä poimit minun katseeni,
sen kauan harhailleen, resuisen
kulkurin, se nostaa päänsä pystyyn
ja säteilee helmen valoa,

rintoihisi sinä poimit
minun katseeni, ne heräävät,
lakkaavat uikuttamasta,
ovat äkkiä yhtä hereillä
kuin savukkeesi odottava hehku,
jännittyvät kuin silta.

43

## 5.

Sinun selkäsi kaari
olkoon
iankaikkisesti kiitetty,

enkä minä tiennyt
minne joutuisimme
kun koskettaisin, niin
kevyesti, niin kevyesti
etten saisi kättäni enää irti
ja että silta sortuisi
ilman käteni pilaria,

niin minä kosketin
sinun selkäsi kaarta,
kajosin niskan porttiin,
kostutin suun,
täytin rinnat
kunnes me vapisimme
kuin uupuneen hevosen lapa,
oi helmi johdata tiemme kulkua,

niin minä kosketin
yhden ainoan
iankaikkisen kerran.

# Käärmeentapporukous

Niin minä viillän sinun vatsasi auki,
        älä luota lapsiin,
        lapset ovat viattomimpia
        ja siksi vaarallisimpia,

minä aion tappaa käärmeet, kaikki viisi,
minä hellytin sinun
kitsaan mielesi,
minä tulin sinun luoksesi
alastomana, hiukset veressä,
luu polvista paistaen,
minä tulin sinun luoksesi
kun vihdoin vastasit huutooni,
oli kylmä aamu
ja hengitys höyrysi
kuin savupanos
porttikäytävässä,

minä löysin sinut
ja astuin sinun eteesi
silmät viattomuutta julistaen:

Viaton! Viaton
kuin hämmästyneet jänikset
Babi Jarin metsässä,

minä astuin sinun eteesi
veitsi peräsuoleen kätkettynä,
tulin kuin tulliin,
tulin isää tappamaan,

minä aion tappaa kaikki viisi käärmettä,
minä viillän sinun vatsasi auki,
minut on lähetetty tappamaan
tai anastamaan, ne sysäsivät
minut matkaan ja kiipesivät
puuhun odottamaan,

ne odottavat minun tuovan
viisi videonauhaa, minä viilsin
sinun vatsasi auki,
löysin viisi elävää käärmettä
niin kuin hyvin tiesin,
minä aion tappaa ne,
minä en palaa enää kotiin,
ei kotia ole
paitsi käärmeiden henki,
minä aion vapauttaa käärmeiden
hengen, aion tappaa käärmeet.

Tuskissaan kiemurtelevat käärmeet,
omien nahkojensa vangit,
tahtovat ulos
itsekseen, hengiksi

joita kukaan
ei voi omistaa,
lasten oikkujen kaltaisiksi,
viattomiksi
ja vaarallisiksi.

Sinun ruumiisi, Jumala, ei vuoda verta
ja sinun suusi huokaa helpotusta
kun minä vapautan sinut
peräsuoleen kätketyllä veitselläni
viidestä vangitusta käärmeestä,

paljain käsin
minä kiskon ne ulos
sinun aukiviilletystä vatsastasi,
leikkaan niiden päät irti,
paloittelen ruumiit
hiljaa hiipuvaksi
kiemurteluksi,
aivan yön pituisen
kärsimyksen näköisiksi,

minä hautaan käärmeet paikkaan
ulkopuolelle yhdenkään
arvauksen, tutkimuskomission
ja unohdan sen heti itse.

Minä lasken
käärmeiden henget irti.
Tunnen tyhjyyden kevyttä iloa,
se on tieto
että minun on tultava
niiden kaltaiseksi.

Niin minä polvistun
sinun aukiviilletyn vatsasi
ääreen, Jumala,

upotan verellä pestyt hiukseni
sinun vatsasi paljastettuun
neitsytlähteeseen, pesen
hiukseni sinun
helpottuneella verelläsi,
niin puhtaiksi, niin puhtaiksi,
ennen kuin lähden,
kullankeltaisiksi.

Älä luota lapsiin,
lapset ovat viattomimpia
ja siksi vaarallisimpia

ja siksi sinun
ainoa toivosi.

# Pyhimykselle

Pyhimys, pyhimys
pikku huora,
pyhitetty olkoon
sinun pieni
ruhjottu ruumiisi,
pyhitetty olkoon
naarmuton sielusi.

Vaikka olisin ainoa, vainottu,
läähättävien koirien
piirittämä, en saata
olla suutelematta
sinun kuvaasi.

Kauneutesi vuoksi
ne sulkivat sinut
suureen bordelliin,
autio raivo
työntää siittimensä
sinun lämpösi pakahduttavaan hedelmään
kuin korkkiruuvin,
yrittää kiskoa ulos, pois,
porautua sieluusi saakka
ja halkaista sen huulet.

Et ole yksin, Pyhä Agnes.
Minä suutelen sinun kuvaasi.

Olen kokeillut
kolmeatoista helvettiä,
koska minun oli pakko nähdä.
Olen seissyt omalla haudallani,
hauta oli ihana, kauniisti
koristeltu, olin
sirotellut kukkia ylleni
ennen kuin asetuin selälleni
lumeen,

ja miltä kevät
sitten maistuikaan,
sinulta, sinulta
ja varastetulta mansikalta,
Agnes, sinä suojelit minua,

on nähtävä,
nähtävä
jokaisen haavan
reuna, sinä sanot,
ja vain siksi
että oppisi uskomaan,

ja minun oli pakko nähdä
se paikka missä pimeys syntyy
ja lähtee sinua kohti
koska sinä olet kaunis.

Pyhä Agnes,
pikku huora,
hauta oli ihana,
ihanampaa on matkalla
helvetistä helvettiin
suudella sinun kuvaasi,
valkosipulia, krusifiksia,
pistoolia, hevosen häntää.

Minä olen langennut tuhannesti,
minun oli kokeiltava
kaikki helvetit, olen
polttanut kaikki kartat
ja piirtänyt ne uudelleen
sinun kasvoistasi
sinun rinnoistasi
sinun reisistäsi
sinun varpaistasi,
värjännyt ne kajalilla ja
sinun katseesi nimettömillä väreillä, Agnes,

Pyhä Agnes,
sinut on suljettu bordelliin
ja sinä tiedät jo voittaneesi,
sinä tunnet naarmuttoman
sielusi, et ylpeile sillä,
murskatuilla rystysilläsi,
revityillä vaatteillasi,
sääli
on emonsa menettänyt varsa
juoksemassa junan perässä,
hellyttävä

mutta tuntematon
sinun sielullesi, Agnes.

Niin monta helvettiä
on nähtävä
ennen kuin sielu taas
muuttuu naarmuttomaksi!

Pyhimys, pyhimys,
pikku huora,
pyhitetty olkoon
sinun kaunis
ruhjottu ruumiisi,
pyhitetty olkoon
sinun kivitetty
naarmuton sielusi.

Pyhimys, pyhimys
Pyhä Agnes.
Meidän yhteisiin
silmiimme on kirjoitettu:

"Vain pyhimykset voivat
muuttaa maailmaa."

# Sisällys